D0115633

Princesse Zélina

Les fantômes de Zélina

FOPLA / AABPO

OTTAWA PUBLIC LIBRARY
BIBLIOTHEQUE PUBLIQUE D'OTTAWA

Bruno Muscat

Tout petit, il adorait se déguiser en chevalier et sauver les princesses avec son épée en plastique. Trente ans plus tard, Bruno Muscat est journaliste à *Astrapi*. Raconter des histoires est devenu son métier, et les châteaux forts le font toujours autant rêver.

Philippe Sternis est surtout connu pour ses bandes dessinées : il a publié ses premières planches en 1974 dans le journal *Record*, avant de créer d'autres séries pour Bayard Presse. En 2000, il a publié *Pyrénée*, chez Vents d'Ouest, qui a reçu de nombreux prix, dont celui du festival de Creil.

BRUNO MUSCAT • PHILIPPE STERNIS

Princesse Zélina

Les fantômes de Zélina

bayard poche

Royaume de

Montagnes
Noires

Landes d'Ohr

Kertala

Royaume
de Loftburg

Sévrougo

Schnitzel

Lac d'Émeraude

Noordévie
N
O
E
S
Baghora
Le château royal
Oberon
Forêt de Fildar
Ile d'Ysambre
Port-Duchesse

Prologue

Depuis que le roi Igor de Noordévie a désigné sa fille Zélina comme héritière de son royaume, de terribles menaces pèsent sur la vie de la jolie princesse. Dans l'ombre, sa belle-mère, la reine Mandragone, aidée par le démoniaque Belzékor, échafaude d'effroyables complots pour l'écarter du trône !

Heureusement, la jeune fille a un allié sûr : l'intrépide prince Malik de Loftburg ! Mais l'amour qui les unit sera-t-il suffisant pour les sauver tous les deux ?

1
Les folies de Lucille

Zélina s'épongea le front :

– Mes amies, que diriez-vous de nous accorder une petite pause pour nous rafraîchir ?

Élise de Coquillon, Astrid d'Izarny et Lucille Polidor ne se firent pas prier. Depuis deux bonnes heures que les quatre jeunes filles disputaient une partie de jeu de paume acharnée sur les pelouses du château, elles ne s'étaient guère arrêtées pour souffler. Elles posèrent leurs raquettes et suivirent la princesse jusqu'à la carafe de limonade glacée.

– Quelle partie ! s'écria Astrid.

– J'ai bien cru que nous ne réussirions jamais à remonter au score, avoua Élise, la partenaire de Zélina.

– Au fait, Lucille…, osa la princesse, vous ne nous avez toujours pas révélé la mystérieuse raison qui nous a obligées à reporter notre match d'hier. Mais je suis peut-être indiscrète…

Les joues de Mlle Polidor rosirent :

– Êtes-vous capables de garder un secret, mesdemoiselles ?

Les autres jeunes filles acquiescèrent, les yeux brillants de curiosité. Après une brève hésitation, Lucille se lança :

– C'est que… voilà : hier, j'étais invitée à une séance de spiritisme !

– Une séance de spiritisme ! s'exclama Élise. Racontez-nous ça !

Le spiritisme… Zélina ne se rappelait pas avoir jamais entendu ce mot étrange. Cependant, pour ne pas passer pour une ignorante, elle prit un air

entendu. Fort heureusement, Lucille ne fut pas longue à éclairer sa lanterne. La jeune fille rougit un peu plus :

– C'est… c'est Henri qui m'y a emmenée.

Henri de Kelsnor était connu à Obéron pour son excentricité. Ses amies savaient Lucille très éprise de lui.

– La séance a eu lieu chez Mme Hottentote. Henri m'a dit qu'elle était un médium* très célèbre. Elle nous a demandé de nous asseoir autour d'une table, avec trois autres personnes que je ne connaissais pas, et elle a commencé à invoquer les esprits…

* Médium : personne ayant le don de communiquer avec les esprits.

–Et alors ?

–Et alors... ils ont répondu ! Nous avons entendu des coups frappés au mur après chaque question que posait Mme Hottentote. Deux coups pour « oui », un coup pour « non »... J'en avais la chair de poule !

Lucille but une longue gorgée de limonade, guettant les réactions de ses amies. Elles ne tardèrent pas.

– Lucille, je ne vous savais pas si courageuse, déclara Astrid, pleine d'admiration. Ce doit être terrifiant !

– C'est en effet très impressionnant..., répliqua Lucille avec un petit sourire de fierté. Mais vous savez, les esprits ne sont pas méchants !

– Et que vous ont-ils raconté ? demanda Élise.

Lucille poursuivit son récit, ravie. Sur le moment, il laissa Zélina un peu songeuse. Elle ne savait pas trop quoi penser de la nouvelle passion de son amie. Lucille était toujours si enflammée !

– Que diriez-vous si j'organisais une séance de spiritisme chez Mme Hottentote ? proposa-t-elle soudain. Rien que pour nous quatre…

Élise et Astrid acceptèrent aussitôt. Zélina, en revanche, fit un peu la moue :

– Vous êtes sûres que c'est bien convenable ?

Ses camarades haussèrent les épaules. Convenable ? Peut-être pas ; mais amusant, certainement ! Elles insistèrent tant et si bien que la princesse ne résista pas très longtemps…

2

Les grands pouvoirs de Mme Hottentote

Le lundi suivant, Lucille vint chercher Zélina au château. Dans le carrosse qui les menait toutes les deux chez Mme Hottentote, la princesse regretta d'avoir décidé de suivre ses amies sans en avoir parlé auparavant à sa chère marraine, la fée Rosette. Invoquer les esprits, ce n'était tout de même pas anodin ! Seulement, Rosette venait de partir pour la lointaine forêt de Pompignac, où elle assistait au grand rassemblement annuel des fées

et magiciens, et elle n'allait pas être de retour avant un bon mois. Zélina se rassura comme elle put : si Lucille avait parfois des idées farfelues, elle n'était pas complètement inconsciente…

Zélina et Lucille retrouvèrent leurs deux camarades devant chez Mme Hottentote. Lucille sonna et un homme, qui se présenta comme le mari du célèbre médium, leur ouvrit la porte. Il pria les jeunes filles de le suivre jusque dans un cabinet particulier où Mme Hottentote les reçut.

C'était une pièce sombre, simplement éclairée par les quatre bougies d'un chandelier. Elle ne possédait aucune fenêtre, et l'on peinait à en distinguer les contours.

– Installez-vous, mesdemoiselles, susurra le médium en désignant les chaises qui entouraient un lourd guéridon.

Zélina et ses amies s'assirent sans un mot. Mme Hottentote respira un grand coup et prit un air pénétré :

– Maintenant, s'il vous plaît, je vais requérir le silence le plus absolu. Nous allons toutes nous donner la main et nous concentrer ensemble…

Chacune saisit la main de ses deux voisines. La maîtresse de cérémonie ferma les yeux.

– Esprit, es-tu là ?

Impressionnée, Zélina frissonna et serra la paume de Lucille.

– Esprit… es-tu là ?

Il y eut un courant d'air glacé. Les flammes des bougies vacillèrent.

– Si tu es là, déclara Mme Hottentote, frappe deux coups…

Après quelques secondes, deux coups résonnèrent dans la pénombre. Astrid sursauta.

Mme Hottentote lui jeta un regard noir :

– Je vous en prie… concentrez-vous !

Ses paupières se fermèrent à nouveau :

– Esprit… désires-tu communiquer avec nous ?

Toc… Toc… La spirite* ouvrit alors un tiroir devant elle et en sortit un verre. À cet instant, Zélina

* Spirite : synonyme de « médium ».

remarqua qu'un alphabet en ivoire était incrusté dans le plateau d'ébène du guéridon, formant un grand cercle au centre duquel Mme Hottentote posa le verre. Elle demanda à chacune des participantes de poser son index dessus. L'objet se mit aussitôt à bouger. Il s'avança vers une lettre, puis une autre, comme pour les désigner.

Le médium invita Astrid à les lire à voix haute.

– J… E… M… A… P… P… E… L…

« Je m'appelle… » Fascinée, la princesse se laissa hypnotiser par l'étrange ballet du verre

sur la table. Elle le vit former le nom de Tugdual.

– Et comment êtes-vous mort, Tugdual ? interrogea Mme Hottentote d'une voix sépulcrale.

Tugdual raconta sa terrible histoire, celle d'un modeste écuyer au service d'un seigneur cruel qui ne manquait aucune occasion de le battre ou de l'humilier. Un jour, le seigneur eut vent des tendres sentiments qui unissaient Tugdual à la plus jeune de ses filles. Son sang ne fit qu'un tour, et, sans autre cérémonie, il précipita son écuyer dans le puits de son château. Tugdual résista pendant des heures avant de se noyer sous les yeux de son amoureuse impuissante…

Ce récit bouleversa tant Zélina qu'elle ne douta pas un instant que c'était vraiment l'esprit de Tugdual qui animait le verre. Lorsque celui-ci s'acheva, la jeune fille releva la tête vers ses amies. Toutes avaient, comme elle, les yeux rougis par l'émotion.

– Je pense que nous allons nous arrêter là, mesdemoiselles…, s'excusa Mme Hottentote en se levant. Je suis épuisée et je désire me reposer, maintenant.

Le médium se retira, et son mari raccompagna les jeunes filles sur le pas de la porte.

– Ces séances sont très éprouvantes pour ma femme, leur glissa-t-il. Invoquer les esprits lui demande à chaque fois beaucoup d'énergie.

– Monsieur Hottentote, mes amies et moi-même sommes impressionnées par les pouvoirs de votre épouse ! assura Lucille en lui remettant une bourse bien garnie.

Encore sous le choc de l'incroyable expérience qu'elle venait de vivre, Zélina acquièsça sans rien dire. Elle n'osait y croire… et pourtant elle l'avait vu de ses yeux : les vivants pouvaient communiquer avec les morts !

3

Une princesse incomprise

Zélina dormit fort mal, cette nuit-là. Chamboulée par la séance chez Mme Hottentote, elle se tourna et se retourna dans son lit sans réussir à fermer l'œil. Aux premières lueurs de l'aube, elle parvint toutefois à trouver le sommeil, mais un sommeil agité, peuplé d'esprits et de revenants... Lorsque Ambre, sa demoiselle de compagnie, tira les rideaux de sa chambre pour la réveiller, la jeune princesse se cacha sous ses draps de satin en bougonnant. Au bout d'un moment, cependant, elle

daigna enfin montrer le bout de son nez. En découvrant son visage tout chiffonné, la demoiselle de compagnie s'inquiéta, et sa maîtresse lui raconta ses cauchemars.

– Un bon chocolat chaud, mademoiselle, et vous aurez oublié toutes ces fadaises ! s'esclaffa la suivante en aérant la pièce.

La princesse fit la moue. Elle s'étira et finit par quitter son lit.

L'après-midi, Zélina reçut la visite de son amoureux, le prince Malik de Loftburg. Elle l'emmena avec elle dans le jardin, où ils s'assirent au bord de la fontaine. Ici, ils pouvaient converser à l'aise, sans craindre les oreilles indiscrètes. Dès qu'ils furent au bord de l'eau, la princesse demanda à son bel étudiant, en plongeant ses yeux dans les siens :

– Croyez-vous qu'il soit possible de parler avec les morts, mon chéri ?

Malik fut un instant décontenancé par cette

question et le sérieux avec lequel elle était posée, puis il éclata de rire :

– Mais avec qui voulez-vous converser, mon amour ? Je ne vous suffis donc plus ?

Craignant d'avoir froissé sa bien-aimée, il se ravisa aussitôt et l'interrogea sur les raisons de sa question. Zélina s'empressa de lui raconter les événements de la veille. Malik sourit à nouveau :

– Et vous avez cru à toutes ces balivernes ?

Zélina fronça les sourcils :

– Si vous aviez assisté à la séance d'hier, vous seriez moins sarcastique ! Je sais ce que j'ai vu....

Malik lui prit la main :

– Ma douce colombe, je suis un scientifique et je connais ce genre de charlatans. Votre Mme Hottentote est au mieux une illuminée… au pire, un escroc doublé d'une habile illusionniste !

Le ton un peu suffisant de Malik énerva la princesse :

– Dites tout de suite que je suis naïve ou que j'ai eu des hallucinations !

Le prince battit en retraite :

– Enfin, c'est ce que je pense, mais je peux me tromper… Après tout, vous avez raison : je n'étais pas là !

Zélina sauta sur l'occasion :

– Pourquoi ne m'accompagneriez-vous pas chez elle la prochaine fois que je m'y rendrai ? Vous pourriez juger sur pièces !

– C'est-à-dire…, bredouilla Malik, pris au piège. Euh… La période des examens va bientôt débuter à l'université et il faut que je révise. Sinon, vous pensez bien…

– Tant pis, soupira la princesse, déçue. Puisque c'est comme ça, j'irai sans vous… Et si nous nous promenions dans le parc ? Je commence à avoir des fourmis dans les jambes !

Tandis que les deux tourtereaux s'éloignaient du bassin en se tenant par la main, l'angelot de marbre qui ornait la fontaine s'ébroua.

– Brrr… on se gèle vraiment les sourcils, ici, maugréa Belzékor, à moitié nu, en reprenant des couleurs.

Connaissant les habitudes des jouvenceaux, le démon s'était arrangé pour les précéder de quelques minutes. Il n'avait ainsi rien manqué de leur conversation.

Le nabot bondit de son promontoire et récupéra ses vêtements derrière un buisson. Après avoir soigneusement remis le vrai Cupidon à sa place, il rentra satisfait au logis.

Alors, comme ça, cette peste de Zélina en pinçait pour les esprits ? Elle voulait communiquer avec les morts ? Eh bien, il allait lui en montrer un, de revenant ! Et pas n'importe lequel…

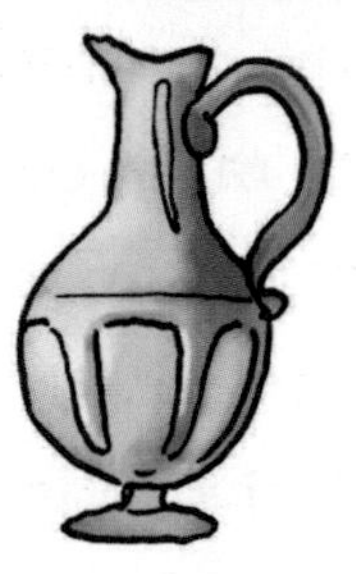

4

Belzékor passe à l'action !

Quelques jours plus tard, Zélina et ses amies se rendirent à nouveau chez Mme Hottentote. Hélas ! la princesse ignorait que son sac à main abritait un passager clandestin… Blotti dans les replis d'un mouchoir en dentelle, le diabolique Belzékor métamorphosé attendait son heure !

La princesse et ses amies prirent place autour du guéridon. Zélina posa son sac à ses pieds, et le démon en profita pour s'échapper. Il se faufila jusqu'à l'ombre d'une commode, où il retrouva sa

taille normale. Mme Hottentote invita les jeunes filles à se donner la main et ferma les yeux.

– Esprit… es-tu là ? lança-t-elle d'une voix chevrotante.

Un silence pesant suivit ses paroles. La spirite réitéra sa question :

– Esprit… es-tu là ?

Soudain, Zélina et ses camarades, ébahies, sentirent la table se soulever. Elle se mit à tourner sur elle-même, lentement d'abord, puis de plus en plus vite. Astrid poussa un cri, ce qui eut pour effet d'accélérer encore le mouvement. Mme Hottentote, effrayée, se mit à couiner :

– Esprit, qui que tu sois… QUITTE CETTE TABLE ! QUITTE CETTE TABLE !

Ses exhortations ne servirent à rien. Le guéridon tourbillonna de plus belle et commença à flotter dans la pièce. Le médium et ses invitées n'eurent d'autre choix que de se jeter à terre.

– ATTENTION ! hurla Zélina à Lucille, qui esquiva de justesse l'un des lourds pieds d'ébène.

Belzékor se caressa le menton. Il avait assez joué, maintenant. Il était temps de passer aux choses sérieuses… Le démon leva son doigt crochu en direction de la table, qui regagna bien sagement sa place. Puis l'odieux nabot avisa une carafe pleine d'eau sur la commode, et y vida la poudre que contenait l'une de ses multiples bagues.

– La poudre de Mélancholia… Il n'y a rien de mieux pour « soigner » les idées noires ! ricana-t-il dans sa barbe.

Au bout de quelques instants, les jeunes filles osèrent enfin se redresser. Leur hôtesse était pâle comme un linge.

– Euh… ce… ce sont des choses qui arrivent parfois quand…, improvisa-t-elle, quand les esprits sont mécontents qu'on les tire de leurs limbes !

En vérité, elle ne pouvait fournir aucune explication sur ce qui venait de se produire… Elle s'effondra sur sa chaise. Mais, alors qu'elle s'apprêtait à se relever pour mettre fin à la séance, elle se retrouva clouée sur son siège. Les yeux révulsés, la spirite ouvrit la bouche. La voix qui en sortit n'avait plus rien à voir avec la sienne… D'aigrelette, elle était devenue grave et profonde. Et surtout Mme Hottentote semblait n'avoir plus aucun contrôle sur ce qu'elle disait !

– Ma fille, tu me manques…, gronda-t-elle.

Ces mots étaient ceux d'une mère. Les regards convergèrent vers la princesse : des quatre amies, Zélina était la seule orpheline !

La voix reprit :

– Oui, toi… ma fille ! Tu ne me reconnais donc pas ?

Zélina sentit son cœur s'emballer dans sa poitrine.

– Je suis ta mère, la reine Mathilde, et je n'en peux plus d'être séparée de toi ! déclara Mme Hottentote, possédée.

– Maman ! bredouilla la jeune fille dans un état second.

– Quand viendras-tu me rejoindre, mon enfant ? Nous serions si bien ensemble ; tu ne serais plus jamais seule…

Terrassée par la peur et l'émotion, la princesse s'écroula sur le tapis. Au même instant, la spirite revint à elle.

– Que... que s'est-il passé ? balbutia-t-elle, hébétée.

– Son Altesse s'est évanouie ! Vite, de l'eau..., cria Lucille, en soutenant Zélina.

Élise saisit la carafe sur la commode. Elle humecta son mouchoir et tamponna le front de son amie, qui ne tarda pas à reprendre connaissance.

– Désirez-vous boire un peu ? demanda Astrid.

Zélina fit oui de la tête. Élise remplit un verre qu'Astrid porta aux lèvres de la princesse. La jeune altesse était très ébranlée. Elle but le verre d'une traite et, chancelante, réclama de rentrer au château. Personne ne désirant s'attarder plus longtemps, les autres jeunes filles prirent elles aussi congé de Mme Hottentote. On se sépara sur le perron du médium : Lucille raccompagna la princesse, Astrid et Élise partirent de leur côté.

Mme Hottentote resta de longues minutes prostrée dans son salon. Lorsque son complice de mari jaillit enfin du réduit secret où il se cachait pendant les séances de sa femme, il était hors de lui.

– Mais, pauvre folle, qu'est-ce qui t'a pris ? rugit-il. Nous ne les reverrons plus, c'est sûr ! Adieu, les pièces d'or !

– Je… je ne comprends pas…, bafouilla la fausse spirite.

Terrifiée, elle saisit les mains de son époux :

– Je… je crois que j'ai vraiment le pouvoir de parler aux esprits !

5

Un poison puissant

La poudre de Mélancholia fit rapidement effet. Cette drogue terrible plongea Zélina dans un état de profond abattement. En quelques jours, elle n'eut plus goût à rien. Elle cessa de s'alimenter et commença à dépérir… Le roi Igor, très soucieux, s'en ouvrit à sa femme, la reine Mandragone.

– Mon cher époux, le rassura la belle-mère de Zélina, votre enfant est en train de devenir une femme. Ces sautes d'humeur sont naturelles. Toutes les demoiselles du monde connaissent ce genre de troubles à un moment ou un autre ! Il suffit d'attendre que ça leur passe, voilà tout…

Igor regarda Mandragone, perplexe. Il avait du mal à comprendre les tourments des jeunes filles de l'âge de sa petite princesse. La reine lui proposa de parler à sa belle-fille, ce que le roi, soulagé, accepta volontiers. Évidemment, elle se garda bien de le faire…

Zélina retourna chez Mme Hottentote, seule cette fois-ci. Ses amies, trop effrayées, tentèrent bien de l'en dissuader. Mais la princesse était obstinée, et elles refusèrent de la suivre.

Belzékor recommença son numéro. Cette fois, il fut encore si convaincant que Zélina décida de rendre des visites régulières à Mme Hottentote. Étrangement, elle avait l'impression que seules ces séances parvenaient à mettre un peu de baume à son cœur.

Bientôt, Zélina ne vécut plus que pour ces conversations illusoires avec sa mère. Persuadée

de détenir de puissants pouvoirs, le médium se prêtait au jeu avec crédulité. La princesse, vexée par la première réaction de Malik, n'avait parlé de ces séances à personne, exception faite d'Ambre, à qui elle ne cachait rien. Avec son bon sens naturel, sa confidente n'avait pas hésité à lui exprimer le fond de sa pensée :

– Mademoiselle, toutes ces histoires ne sont pas bonnes pour vous...

– Mon Ambre, tu ne peux pas comprendre le bien que me procurent ces discussions avec ma chère maman.

Ambre avait ronchonné :

– Le bien ? Je ne sais pas… Tout ce que je vois, c'est que cela vous ravage. Vous avez vraiment mauvaise mine !

Cette dernière phrase avait eu le don d'énerver Zélina.

– Laisse-moi, maintenant…, lui avait-elle brusquement ordonné. Je n'ai pas besoin de toi… Va donc vaquer à tes occupations, je suis sûre que tu as mieux à faire qu'à te lamenter sur mon sort !

Jamais Zélina ne s'était ainsi adressée à son amie ! La jeune fille était sortie des appartements princiers des larmes plein les yeux.

– Maudits esprits, avait-elle maugréé. Vous n'avez pas le droit de vous en prendre à ma princesse !

Mais que pouvait-elle faire ? Seule, elle n'arriverait à rien, elle avait besoin d'aide. Hélas, la fée Rosette était absente, et personne ne savait précisément quand elle allait revenir. Restait Malik... Ambre prit son courage à deux mains, et se rendit à la bibliothèque de l'université d'Obéron.

Elle ne fut pas très bien reçue. Le bel étudiant était débordé.

– Comprenez-moi... J'ai une épreuve de mathématiques très importante demain, lui expliqua-t-il. Je dois réviser pendant toute la nuit...

– La princesse est tellement tourmentée par ces esprits qu'elle refuse de se nourrir... Il faut faire quelque chose ! supplia Ambre.

– Je lui ai pourtant dit que tout cela n'était que des chimères ! s'agaça Malik. Mais quand se décidera-t-elle à ouvrir les yeux ?

Voyant le désarroi d'Ambre, le prince se sentit un peu coupable de négliger ainsi sa bien-aimée. Il se radoucit :

– Pardonnez-moi, Ambre. C'est d'accord... Dès que j'en aurai terminé avec mon examen, je passerai voir notre Zélina au château !

6

Des oranges bien amères

Le lendemain était un triste anniversaire: cela faisait six ans, jour pour jour, que la reine Mathilde avait été arrachée à l'amour des siens. Chaque année à cette date, une atmosphère particulièrement lourde flottait sur le château. Le roi s'enfermait dans son bureau, interdisant à quiconque de le déranger, à l'exception, bien sûr, de sa fille chérie.

Dès qu'elle ouvrit les volets de la chambre de Zélina, Ambre sentit qu'aujourd'hui personne

ne troublerait la solitude d'Igor... La princesse semblait encore plus absente et fragile que la veille. La demoiselle de compagnie parvint tout de même à la convaincre de quitter son lit et de l'accompagner à la salle à manger pour le petit déjeuner. En revanche, elle ne réussit pas à lui faire avaler quoi que ce soit.

– Il faut vous reprendre, mademoiselle : vous ne pouvez pas rester ainsi sans rien manger...

Zélina détourna la tête :

– Puisque je te dis que je n'ai pas faim...

Belzékor, qui déjeunait de l'autre côté de la table, regarda Ambre avec agacement. Comment éloigner cette gêneuse ? Il contempla pensivement la brioche qu'il tenait dans la main, et finit par avoir une illumination.

– Quelques oranges pressées feraient peut-être du bien à Sa Majesté..., suggéra-t-il à la jolie demoiselle de compagnie. On vient justement d'en rentrer quelques cageots dans la réserve de fruits...

Ambre fut un peu étonnée par cette soudaine sollicitude. Néanmoins, l'idée n'était pas si saugrenue.

– Vous avez raison, monsieur Belzékor. Le roi en boit tous les matins, et ça lui réussit fort bien ! Désirez-vous que je vous en confectionne un verre à vous aussi ?

– Volontiers, mademoiselle, volontiers ! susurra le démon. Vous êtes vraiment trop gentille…

Après avoir pris un panier à l'office, Ambre monta à la réserve de fruits. Celle-ci se trouvait

sous les combles du château. À peine la jeune fille avait-elle ramassé ses oranges qu'un coup de vent terrible claqua la porte du réduit. Lorsqu'elle voulut ressortir, son panier rempli de beaux agrumes sous le bras, la porte refusa de s'ouvrir.

– Aïe… C'est bien ma chance !

Ambre s'escrima sur la poignée, sans résultat. Quelque chose devait s'être cassé dans la serrure. Elle tambourina sur la porte en vociférant :

– Au secours… Je suis enfermée !

Elle eut beau appeler à l'aide, personne ne l'entendit. Personne… sauf Belzékor, qui avait une ouïe démoniaque ! Touillant son chocolat, l'âme damnée de Mandragone sourit dans sa barbe. Débarrassé de cette peste d'Ambre jusqu'au petit déjeuner du lendemain, il avait les mains libres pour en finir avec sa maîtresse…

Perdue dans ses noires pensées, Zélina quitta la table sans un regard pour le démon.

Alors qu'elle traversait la Galerie des Souverains, elle passa devant le portrait de sa mère. Elle s'arrêta et leva la tête vers lui. Devant le beau visage plein de sérénité de la reine, les yeux de la princesse se remplirent de larmes :

– Aujourd'hui, cela fait six ans que tu nous as quittés… Et je crois que tu ne m'as jamais autant manqué !

Elle effleura la toile vernie du bout de ses doigts :

– Pourquoi es-tu partie comme ça, si brusquement, ma chère maman ? Pourquoi as-tu abandonné ton petit oiseau de paradis ?

Au souvenir du tendre surnom que lui donnait Mathilde, Zélina plongea son visage dans ses mains et elle se mit à sangloter :

– La vie est vraiment trop dure sans toi…

7

Le piège se referme

Ambre ne reparut pas de toute la journée. Personne, dans le château en deuil, ne le remarqua, surtout pas sa maîtresse, qui s'enferma dans sa chambre pour y ruminer sa mélancolie.

Sur le coup de deux heures, Zélina ressortit de ses appartements, toute de noir vêtue et le visage recouvert d'une fine voilette. Elle traversa le palais le regard fixe, sans dire un mot. Au pied de la terrasse, la princesse s'engouffra dans son carrosse, qui la mena chez Mme Hottentote. Comme chaque

jour, Belzékor s'était discrètement joint à elle, assis sur la malle du coche…

Depuis qu'elle avait eu la révélation de ses « pouvoirs », Mme Hottentote n'était plus tout à fait la même. Son visage avait pris une teinte olivâtre, et une lueur fiévreuse brillait au fond de ses petits yeux chafouins. En voyant cette femme, n'importe quelle personne sensée se serait dit qu'elle n'avait plus toute sa tête. Mais Zélina était trop perturbée pour s'en rendre compte…

Le médium saisit les mains de sa jeune invitée au-dessus du guéridon.

– Mathilde… Mathilde, es-tu là ? lança-t-elle d'un ton pénétré.

L'esprit de la reine, une fois de plus, se manifesta… Mme Hottentote fut prise de tremblements, des gouttes de sueur coulèrent sur ses tempes, et ses yeux se révulsèrent. Des sons bizarres se mirent à sortir de sa bouche. Zélina, qui avait beaucoup de mal à s'habituer à cette vision terrible, se raidit sur sa chaise. Belzékor s'était emparé corps et âme de la pauvre spirite. Il s'éclaircit la voix et s'adressa à la princesse :

– Ma fille… Sois sans crainte, c'est ta mère qui te parle.

Zélina esquissa un frêle sourire :

– Maman, ça me fait tellement de bien de t'entendre.

Le démon soupira :

– Moi aussi, ma chérie, moi aussi… Hélas, nous n'allons plus pouvoir continuer à nous parler ainsi bien longtemps…

Le sourire de la jeune fille se figea :

– Mais… Pourquoi ?

– Revenir d'entre les morts me demande de plus en plus d'énergie. Je m'épuise peu à peu…

Devant la mine consternée de la princesse, la voix se fit doucereuse :

– Ne sois pas triste, ma fille. Si tu le veux vraiment, nous allons bientôt nous retrouver pour toujours.

– Maman, je ne pourrai jamais supporter de ne plus te sentir près de moi…

Belzékor jubila. La petite idiote était ferrée ! Il continua de son ton mielleux :

– Rassure-toi… Ce n'est plus qu'une question d'heures…

Une lueur de vie illumina un instant le visage livide de Zélina :

– Comment ?

– Ce soir, ma fille… Nous avons rendez-vous !

Mme Hottentote hoqueta. Belzékor marqua une pause et savoura l'instant. Puis, sans pitié, il referma le piège sur son innocente proie.

– Lorsque le soleil s'évanouira à l'horizon, je t'attendrai dans la dernière demeure de notre famille… Viens me rejoindre !

Mme Hottentote cessa soudain de s'agiter et retomba sur son fauteuil.

– Que… qu'est-il arrivé ? geignit-elle en revenant à elle.

Zélina resta un moment pétrifiée.

– Rien, rien…, murmura la princesse. Il ne s'est rien passé…

8

Une rencontre effrayante

En cette fin d'après-midi, le ciel s'était obscurci sur Obéron. Des nuages noirs, venus d'on ne sait où, couvraient la ville. Il y avait de l'électricité dans l'air, et l'on sentait qu'un violent orage n'allait pas tarder à éclater.

Zélina, à la fenêtre de sa chambre, attendait le coucher du soleil. Encore sous l'emprise de la Mélancholia, elle éprouvait à cet instant un sentiment indéfinissable, un étrange mélange d'impatience et de profond désespoir. Jamais elle ne s'était

sentie aussi bouleversée… Elle s'apprêtait enfin à retrouver sa mère, mais elle se doutait aussi que ces retrouvailles auraient un prix. Lequel ? La princesse ne pouvait le prédire. Cependant, elle avait tant rêvé de ce moment qu'elle était prête à le payer, quel qu'il soit… La pluie commença à tomber. Zélina frissonna en entendant tinter le carillon cristallin de son horloge.

« Sept heures…, se dit-elle. Le soleil va bientôt se coucher, le moment est venu. »

La princesse enfila une capeline. Elle se faufila dans les couloirs du château et fut bientôt sur la terrasse.

De l'autre côté du jardin, Belzékor l'attendait ! Perché telle une gargouille sur le toit du tombeau de la famille de Noordévie, le nabot scrutait l'horizon entre les gouttes. Soudain, il aperçut une ombre devant la porte d'entrée du logis royal.

– Ha, ha, ha…, ricana-t-il. Notre charmante amie est pile à l'heure !

Le démon s'assura que la princesse se dirigeait bien vers lui. Il plongea alors à l'intérieur du tombeau familial. Là, avisant le gisant* de Mathilde, il s'y fondit et épousa les traits de la reine.

Quelques minutes plus tard, Zélina poussa la grille rouillée. Après une légère hésitation, elle pénétra dans la chapelle funéraire. Toute tremblante, elle rabattit la capuche de sa capeline sur ses épaules. L'endroit était vraiment sinistre. La princesse aperçut devant elle la tombe de sa mère, dont la statue de marbre gris se détachait dans la pénombre. Elle appela d'une voix hésitante :

* Gisant : statue qui orne une tombe et qui représente le défunt couché.

– Maman… Où es-tu ?

Personne ne lui répondit. L'endroit était vide.

– Maman ? Tu es là ?

À ces mots, Belzékor se dressa, et Zélina poussa un cri d'effroi en voyant le spectre de la reine surgir de la pierre. L'apparition tendit vers elle ses bras transparents. La jeune fille recula, apeurée :

– Maman, c'est toi ?

La silhouette esquissa un rictus horrible. Elle avait l'apparence de Mathilde, mais son regard était vide.

– Ma chère fille ! Enfin je te retrouve...

Incrédule, Zélina dévisagea le spectre. Belzékor sentit que la situation risquait de lui échapper, et il lui murmura d'une voix maléfique :

– Ma petite, tu ne me reconnais pas ?

Envoûtée par les paroles du démon, Zélina tendit à son tour les bras vers la forme grisâtre pour l'étreindre.

– MAMAN !

Mais Belzékor était pressé d'en finir...

Le spectre traversa le corps de la princesse sans plus de cérémonie, et s'éloigna en flottant dans les airs.

– Où vas-tu, maman ? s'inquiéta Zélina.

Dressée devant la porte du caveau, l'angoissante silhouette fit un signe de la main :

– Suis-moi, ma chérie, et nous serons bientôt réunies pour toujours !

9

Duel sur les remparts

Malik remonta le col de son manteau. Il regrettait amèrement d'avoir oublié son chapeau, car un violent orage venait d'éclater sur la ville. Un bouquet de fleurs à la main, le jeune étudiant se hâta en bougonnant sur la route qui menait au château. Une promesse était une promesse, mais il allait arriver trempé... Soudain, un formidable éclair illumina le ciel. Levant les yeux vers la muraille, le prince aperçut une scène qui lui glaça les sangs : là-haut, au sommet des remparts, sa bien-aimée était debout sur le parapet du chemin de ronde, prête à basculer dans le vide !

À cet endroit, le mur d'enceinte surplombait la ville en un à-pic vertigineux. Envoûtée par Belzékor, Zélina avait suivi sans résister ce qu'elle croyait être le fantôme de sa mère, jusqu'au sommet de ce muret glissant. Le sinistre spectre tournoyait maintenant autour d'elle en hululant à ses oreilles :

– Viens, ma fille ! Viens, n'aie pas peur !

La princesse fut prise d'une terrible crise de vertige. Elle sentit sa tête tourner et sa vue se brouiller.

– Un petit pas et nous serons ensemble pour toujours…, insista le démon, qui flottait dans les airs en tendant la main vers elle.

– Tu es sûre, maman ? gémit Zélina.

– C'est bien ce que tu veux ? gronda l'affreuse créature. Que nous ne soyons plus jamais séparées ? Alors, suis-moi !

La princesse leva le bras. Elle se rapprocha un peu plus du vide. Le mur s'effrita sous son pied. En contrebas, Malik hurla, mais le vent assourdissant couvrit sa voix. Belzékor tenta de refréner son impatience.

– Tu verras, nous serons si bien ensemble…, chuchota-t-il mielleusement.

À cet instant, Zélina sentit une douce chaleur envahir son épaule ; une main légère comme la brise s'était posée dessus.

Une voix qui ne lui était pas tout à fait inconnue résonna dans sa tête :

– Ne fais pas ça, ma fille !

La princesse se retourna. Elle se retrouva de nouveau face à sa mère... Une Mathilde qui, elle, était lumineuse et de laquelle irradiait un halo bienfaisant !

– Tu as encore tant de choses à vivre... Tu es trop jeune pour mourir !

– Maman ? Mais...

La magnifique apparition sourit. L'horrible fantôme se rebiffa :

– Ne te laisse pas abuser par cette... cette chose ! Ce n'est qu'une illusion. Qu'est-ce qui t'attend, ici-bas ? Que le malheur et la solitude, tu le sais bien ! Alors qu'avec moi...

– La vraie solitude, c'est la mort..., murmura la voix intérieure.

La pluie redoubla. Le pied de la princesse glissa sur la pierre humide, manquant de la faire basculer. Le spectre gris se fit plus pressant :

– Tu vois, ce n'est pas difficile, tu y es presque ! Encore un effort, et tu seras enfin délivrée de tous tes tourments !

De grosses larmes coulaient sur les joues de Zélina. Elle ne savait plus qui croire… Avec une infinie tendresse, Mathilde l'entoura de son aura bienveillante :

– Ne pleure pas, mon petit oiseau de paradis, maman est là pour toi !

À ces mots, le cœur de Zélina se mit à battre la chamade. Qui d'autre que sa mère connaissait son surnom ?

– Maman... C'est bien toi ?

L'émotion fut telle qu'elle dissipa d'un coup l'effet de la terrible Mélancholia. Rassemblant ses forces, Zélina tendit un doigt vengeur vers Belzékor.

– Tu m'as menti, maudite créature..., cria-t-elle. Qui que tu sois, retourne à tes ténèbres !

À la vue de son regard décidé, le démon comprit que tout était perdu. La princesse avait définitivement recouvré ses esprits et elle ne le suivrait jamais dans l'abîme. Fou de rage, le spectre amer se dissipa en jurant comme un beau diable...

Zélina plongea ses yeux humides dans ceux du fantôme de Mathilde :

– Ma chère maman... Enfin, je te retrouve !

Le beau visage de Mathilde illumina celui de sa fille :

– Tu ne m'as jamais perdue, ma colombe...

Et elle pointa son index gracieux sur la poitrine de la jeune fille, là où battait son cœur :

– Je suis ici... pour toujours !

La silhouette diaphane de la reine s'effaça peu à peu dans la nuit redevenue sereine.

Au même instant, Malik émergea de l'escalier, à bout de souffle.

– Tout va bien, mon cœur ?

10

Le bonheur retrouvé

Zélina redescendit prudemment du parapet et se précipita vers son beau prince, qui la recueillit dans ses bras. Son visage était encore très pâle, et de grosses larmes coulaient de ses yeux d'émeraude.

– Je suis si heureuse de vous voir, lui avoua-t-elle en se blottissant contre lui.

Malik pressa Zélina contre sa poitrine. Comme elle grelottait, il la frictionna énergiquement pour la réchauffer. Une question lui brûlait les lèvres :

– Que vous est-il arrivé ?

– Vous n'allez jamais me croire…

Zélina hésita un instant. Qu'allait-il penser, lui le scientifique, qui ne croyait pas aux histoires de médiums et d'esprits ? Elle inspira une grande bouffée d'air frais et se lança. Elle lui narra sa terrible nuit sans omettre un détail : comment elle s'était sentie comme hypnotisée par cet affreux spectre dans le caveau familial, et comment le fantôme de sa mère, si plein d'amour, avait surgi du néant pour la sauver. Elle lui expliqua, surtout, comment, en un instant, la vie avait triomphé de la mort… Puis la petite princesse baissa les yeux, sûre d'être prise pour une folle. Au contraire, Malik la regarda avec tendresse :

– Je suis désolé de m'être ainsi moqué de vous l'autre jour. Si j'avais eu idée des épreuves qui vous attendaient…

La princesse découvrit alors le bouquet. Dans un mélange de sanglots et de rires, elle saisit les mains de son amoureux et les porta sur son cœur :

– Et vous qui venez d'affronter les éléments pour m'apporter de si jolies fleurs… Comment ai-je pu penser que je voulais mourir ?

Zélina, ragaillardie, tira son bien-aimé par le bras et l'entraîna avec elle sur la muraille :

– Suivez-moi, mon chéri. Si vous êtes d'accord, j'aimerais offrir votre bouquet à quelqu'un…

Un peu vexé par cette étrange requête, Malik grimaça. Comme tout amoureux, il n'aimait pas beaucoup partager ! Mais la princesse ne s'en offusqua pas. Elle dévala les escaliers du chemin de ronde en traînant son cher prince derrière elle et traversa le jardin, jusqu'au caveau des souverains de Noordévie. Devant le tombeau de la reine

Mathilde, Malik comprit, très ému, qui était son « rival »...

Zélina déposa le bouquet entre les paumes de marbre de sa mère, et déclara avec solennité :

– Maman, je te présente le prince Malik...

Et elle ajouta, des étoiles plein les yeux :

– C'est avec lui que je veux partager le reste de ma vie ! Si tu n'y vois rien à redire, bien sûr...

Le fils du roi de Loftburg s'éclaircit la voix. Il s'avança à son tour et s'inclina respectueusement devant le tombeau de la défunte reine :

– Majesté, je vous remercie d'avoir donné naissance à une fille comme la vôtre ! Et je vous jure de me montrer toujours digne du merveilleux cadeau que vous m'avez fait…

À cet instant, un timide rayon de lune traversa le vitrail multicolore qui surplombait le tombeau et illumina le beau visage de marbre. Durant un bref instant, le noble gisant parut esquisser un sourire. Zélina, ravie, déposa un chaste baiser sur la joue tiède de Malik. Ses lèvres glissèrent vers son oreille et elle lui chuchota, rayonnante :

– Mon amour, je crois que maman vous a adopté !

Dans la même collection

Auteur : Bruno Muscat. Illustrateur : Philippe Sternis
Couleurs : Franck Gureghian. Illustrations 3D : Mathieu Roussel.
D'après les personnages originaux d'Édith Grattery et Bruno Muscat

© Bayard Éditions, 2009

18, rue Barbès, 92128 Montrouge
Princesse Zélina est une marque déposée par Bayard

ISBN: 978-2-7470-2818-9
Dépôt légal : octobre 2009
Loi 49 956 du 16 juillet 1949 sur les publications destinées à la jeunesse

Reproduction, même partielle, interdite

Imprimé par Pollina, Luçon (France) - L50611

PRINCESSE ZÉLINA

Le journal intime de la princesse Zélina

Le 15 septembre

C'est la rentrée et j'ai pris de bonnes résolutions : cette année, j'ai décidé de faire du sport ! Et depuis que j'ai vu les gentilshommes de la garde royale s'entraîner à l'épée dans la cour du château, je sais ce que je veux faire : de l'escrime !

C'est vraiment un beau sport, l'escrime... Quelle élégance !

Aujourd'hui, j'ai pris mon courage à deux mains et j'ai demandé à mon père, le roi Igor, si je pouvais prendre des cours d'escrime. Papa a accepté et convoqué monsieur de la Rapière, le maître d'armes du palais. Celui-ci m'a regardé un peu étonné et il m'a dit que si c'était vraiment ce que je voulais, je pouvais commencer dès demain. Génial !

Depuis, ma chère Ambre, ma demoiselle de compagnie, est très inquiète. Elle trouve que c'est un sport dangereux. J'ai été obligée de lui promettre d'être très prudente. Quant à ma belle-mère la reine Mandragone, elle a évidemment tordu le nez en disant que ce n'était pas une activité pour une jeune princesse. Quelle rabat-joie, celle-là !

34

Le 16 septembre

Ma marraine, Rosette, adore l'escrime et elle a été emballée par mon idée. Pour m'encourager, elle m'a même offert une sublime tenue d'escrimeuse !

Après m'être habillée, je suis allée rejoindre monsieur de la Rapière et ses autres élèves dans la salle d'armes. J'avais un peu le trac ! Il m'a d'abord appris à me mettre en garde. Après, il m'a montré quelques mouvements que j'ai répétés seule pendant tout l'après-midi.

Oh là là, je ne croyais pas que c'était si difficile, l'escrime ! On doit garder le bras bien haut et être rapide. J'ai poussé un « ouf » de soulagement quand monsieur de la Ra[illegible]re a annoncé que le cours était fini. [illegible], je suis pleine de courbatures...

J'ai

astrapi

La princesse
te confie tous
ses secrets !

C'est la vie Lulu !

Loulou de Montmartre

Le destin extraordinaire d'une grande danseuse !

Découvre les aventures trépidantes de Loulou, une orpheline promise à un avenir de danseuse, dans le bouillonnant Paris de la Belle Époque.

En librairie • 5,90 €

bayard

Crédit illustration : Loïc Derrien, Diane Le Feyer © PICTOR MÉDIA / THE ANIMATION BAND